Helmut Zöpfl

Es wird alles wieder gut

Mit Fotografien von Klaus und Dorle Scholz

Pattloch

Nimm das Leben nicht so tragisch,
lass die Zeit dir nicht verderben.
Lach und sei ein wenig fröhlich,
auch der Traurige muss sterben.
Nur nicht immer gleich verzagen.
Zeig ein wenig Lebensmut!
Sieh nicht immer nur das Schlechte,
irgendwann wird alles gut.

Alles kann nicht nur gelingen,
auch wenn man sich noch so plagt.
Wichtig ist vor allen Dingen,
dass man's dennoch wieder wagt.
Blicke freudig in die Zukunft,
du hast keine bess're Wahl.
Sieh den Misserfolg als Chance
fürs Verbessern nächstes Mal.

Fürchte nicht, dass jedes Dunkel
in sich immer Unheil trägt.
Nicht in jeder schwarzen Wolke
steckt ein Blitz, der dich erschlägt.
Wolken bergen in sich Regen,
dieser lässt erst Leben sein.
Und vergiss nicht: Hinter Wolken
leuchtet schon der Sonne Schein.

Gutes muss man immer suchen
überall auf dieser Welt.
Und nur der kann Schönes finden,
der nach diesem Ausschau hält.
Jeder Rosenstrauch trägt Dornen.
Doch bedenke bitte auch,
wenn du es genau betrachtest:
Rosen trägt der Dornenstrauch.

Es gibt wohl keinen Lebenspfad,
der völlig eben und gerad'
verläuft und ohne Schwierigkeit.
Doch trage dies mit Heiterkeit.
Taucht mal ein Stein im Lebenslauf
auch oft recht unerwartet auf,
dann denk daran: Mit Gottvertrauen
kann man aus Steinen Stufen bauen.

Wenn du meinst,
es geht nicht weiter,
kein Stück runter oder rauf,
dann betrachte einfach heiter,
nur mal unsern Weltenlauf.
In demselbigen, dem langen,
ist's bisher noch wirklich nie
auch nur einmal nicht gegangen,
immer ging es irgendwie.

Ein Tag wird einst kommen
und die Angst ist vorbei.
Aller Streit ist verflogen
und die Welt wird ganz neu.
Ein Tag wird einst kommen,
voll strahlendem Schein,
und wir werden geborgen
in der Ewigkeit sein.

Scheint die Welt dir einmal düster,
wenn kein Licht du mehr entdeckst,
dann denk an den kleinen Samen,
den du in das Erdreich steckst.
Er entfaltet sich dort unten.
Neues Leben oft entsteht,
wo es mal für eine Weile
auf den Weg durchs Dunkel geht.

Nun, es lässt sich nicht bestreiten,
das Leben ist kein Paradies.
Ein jeder kennt die Schwierigkeiten,
auf die er immer wieder stieß.
Beständigkeit lässt sich nicht mieten.
Es weht halt oft der Wind recht rau.
Doch kann ich ihn auch nicht verbieten,
hilft's, wenn ich Windmühlenflügel bau.

Ist es kein Wunder, dass oft
aus der dunklen Nacht
ein strahlend heller Morgen
wieder neu erwacht?
Ist es kein Wunder, dass die Raupe,
die dort noch starr am Boden liegt,
sich bald in die Luft erhebt
und als Schmetterling auffliegt?

Ist die Nacht auch noch so dunkel,
irgendwann wird's wieder licht.
Und kein Winter ist so eisig,
dass ihn nicht der Frühling bricht.
Auch in einen düstren Keller
scheint einmal ein Licht hinein.
Nichts hängt nur nach einer Seite
und bald wirst du oben sein.

*H*at der Recht, der als Pessimist
das Schlimmere stets erwartet?
Hat der Recht, der als Optimist
mit Zuversicht stets startet?
Man weiß es halt nicht ganz genau,
hat der Recht oder jener.
Doch lebt der Optimist gewiss
viel leichter und viel schöner.

Wenn jetzt die Wiesen werden grün
und bald die ersten Bäume blühn,
wenn jetzt im Frühling alles treibt
und nichts mehr ohne Leben bleibt,
dann spür ich jene große Kraft,
die immer Neues wirkt und schafft,
auf die es lohnt, stets neu zu bau'n
und auf das Leben zu vertrau'n.

Auch noch so viel Dunkel
und noch so viel Nacht
hatte auf dieser Erde
jemals die Macht,
von nur einer Kerze,
so klein sie mag sein,
ihr Licht zu verhindern
und zu löschen den Schein.

*E*in Bogen aus Farbe,
der mächtig das Land,
auch wenn es noch regnet,
leuchtend umspannt,
lässt ahnen das Lichte,
auch wenn alles grau.
Es gibt immer Helles,
auf das ich vertrau.

Auch bei noch so günstigen Winden
kommt es auf den Steuermann,
der sein Ziel genau vor Augen
und auf seine Fahrkunst an.
Bläst der Wind dir mal entgegen,
lass dich ruhig auf diesen ein.
Denke an das Drachensteigen:
Gegenwind kann Aufwind sein.

Versuch es auch in schweren Stunden
zunächst einmal mit mehr Humor.
Sag, scheint es auch zappenduster,
dir dieses schöne Sprüchlein vor:
„'s wird schon lichter", sprach,
indem er seinen Kopf nach oben reckt,
jener Bauer, als der Sturm ihm
hat das Hausdach abgedeckt.

Heile, heile Segen.
Morgen gibt es Regen.
Übermorgen Schnee.
Dann tut's nimmer weh."
Was die Mutter sang vor Jahren,
hab bis heute ich erfahren
und als steten Trost empfunden:
Zeit heilt wirklich alle Wunden.

© 2005 Pattloch Verlag GmbH & Co. KG, München
Alle Rechte vorbehalten

Gesamtgestaltung: Atelier Lehmacher, Friedberg (Bay.)
www.lehmacher.de
Umschlagfoto: Corbis royalty-free images
Druck und Bindung in China

ISBN 3-629-10065-1

www.pattloch.de